Parque Nacional
Torres del Paine
National Park

Patagonia

Fotografías/Photographs
Gastón Oyarzún
Guy Wenborne

Editorial Kactus

Cazadores de la Pampa.

Hunters of the Pampa.

Cuando once mil años atrás los primeros cazadores Aonikenk, también conocidos como Tehuelches, se adentraron desde la pampa patagónica hacia los cordones andinos, divisaron a lo lejos una espectacular silueta emergiendo en medio de las nubes. Roca, nieve y hielo se proyectaban hacia el cielo como un verdadero desafío natural a la continuidad del paisaje. A este gigante geológico lo llamaron "Paine", que en su lengua cercana al mapuche quiere decir azulado, quizás por los colores que predominan al observarlo desde la lejanía.

Los Tehuelches (gente del sur) iban en busca del ñandú y del guanaco, en los que encontraban hermosas piezas de caza para abastecerse de plumas, carne y cueros, recursos valiosísimos para vestir su vida transhumante por la pampa patagónica.

En nuestra época, cuando ya casi todos los rincones de la tierra han sido recorridos por el hombre en su afán de descubrir y asentarse, volvemos los ojos hacia la montaña infinita y nos acercamos de nuevo al "azulado", cual sigilosos cazadores... pero hoy, en vez de llevar la flecha o la boleadora, utilizamos la máquina fotográfica en la captura del paisaje o de la silueta de un hermoso animal o del encuentro con el viento.

Eleven thousand years ago, the first Aonikenk hunters, also known as Tehuelches, ventured from the Patagonian pampa towards the Andes, and they perceived in the distance a spectacular silhouette emerging amidst the clouds. It seemed as if the rocks, snow and ice extended towards the sky defying all their knowledge of the landscape.

They called this geological phenomenon "Paine" which in their language quite similar to that of the Mapuches translates as blue or bluish, probably because this was the predominant colour when observed from a distance.

The Tehuelches (people of the South) went there in search of ostriches and guanacos which provided them with meat, hides and feathers, precious goods for the necessities of their migratory life on the Patagonian pampa.

At the present time, when almost all the remote corners of the world have been surveyed by man in his eagerness to discover and colonize, we can still lift our eyes to the infinite mountains and, as silent hunters, come near, once again, to the "bluish". Today, however, instead of the arrow or the sling, we use modern cameras to capture an outstanding view, the silhouette of a noble beast or the effects of the eternal wind.

Grupo de las Torres, desde la Laguna Azul.
Group of the Towers.

Bandurria.   Buff-necked Ibis.

De historias y leyendas

Las regiones australes de Chile siempre han estado cubiertas de un velo de misterio y desconocimiento, de un halo mítico que han imaginado en estas regiones ciudades y riquezas fabulosas, a gigantes o a monstruos.

Entre las cuatro razas indígenas –hoy desaparecidas– de la Patagonia chilena austral, los yaganes canoeros y su rica mitología trataron de explicarse desde siempre los misterios naturales. El viento, los fiordos y glaciares fueron objeto imaginario de sus atrevidas leyendas, como aquella que relata de qué manera una bandurria se encargó de formar los ventisqueros:

"Quien no haya estado en la Patagonia o en Tierra del Fuego no puede comprender el gran silencio que allí reina. Por eso, un ruido liviano puede molestar a los genios y así sucedió con unos yaganes que, al ver volar una bandurria al terminar el invierno, se entusiasmaron ante este anuncio y gritaron de contento. Lejuhua, la bandurria, que es genio por derecho propio, quedó disgustada por la violación del silencio andino y decidió castigar a los irreverentes. Envió grandes tormentas de nieve que paralizaron todo. Los yaganes no podían dejar siquiera sus cabañas, pues la nieve lo cubría todo. Mucha gente pereció con aquel diluvio blanco. Al fin la nevada cesó, y el sol empenzó a brillar y a derretir la nieve. El agua comenzó a bajar a los canales. El hielo que obstruía los fiordos también se derritió, pero no así el que ocupaba los valles más profundos. Este hielo ha permanecido allí. Desde entonces los yaganes trataron a la bandurria con gran respeto, y cuando ella sobrevuela sus cabañas la gente permanece silenciosa".

Historias y leyendas van quedando atrás, y en el tiempo sólo permanece la sublime belleza del lugar unida al ulular del viento.

El viento sigue siendo el dueño del entorno, y día a día recorre sus dominios con fuerza y estruendo, como queriendo demostrar continuamente su clara superioridad en medio de esta viva geografía.

Stories and Legends

The Southern regions of Chile have always been shrouded in mystery and a mythical halo which has aroused the imagination of many to believe that they were lands of fabulous wealth or monsters and giants.

Of the five indigenous races in this region –all of them extint– the Yaganes were renowned canoeists with a rich mythology which always endeavoured to explain the mysteries of nature around them. The wind, the fiords and the glaciers featured prominently in their imaginative legends, such as the story of how a bandurria (buff-necked ibis) created the glaciers:

"Those who have never been to Patagonia or Tierra del Fuego cannot comprehend the profound silence that reigns there. That is why a slight sound can annoy the spirits and this is what happened to some Yaganes who saw a buff-necked ibis flying at the end of the winter. They were enthusiastic about this song and shouted with pleasure. Lejuhua, the buff-necked ibis and a spirit in her own right, was displeased with this violation of silence and decided to punish the offenders. She sent forth great snowstorms which paralyzed the region completely. The Yaganes could not even leave their huts since they were covered with snow and many of them died. Finally, the snowstorms ceased and the sun appeared to melt the snow. The water flowed down from the peaks and the ice melted in the fiords, but not in the deep valleys where it remains for ever. After this experience, the Yaganes started treating the bandurria with great respect and when she flies over their huts, they remain silent".

Stories and legends belong to the past and with the passage of time only the sublime beauty and the screech of the wind are permanent. Because the wind is the dominant force throughout the region and its presence is felt in the midst of this living geography, day after day.

Macizo del Cerro Paine Grande
Ubicado en el suroeste de la Cordillera, con sus cuatro cumbres principales, siendo la mayor de ellas, de 3.248 metros de altura, también la cota máxima dentro del Parque Nacional.

The Massif of Cerro Paine Grande (Big Paine Mountain)
This massif is located in the South-western part of the range and there are four main peaks: Northern Peak, Main Peak, Central Peak and Southern or Bariloche Peak. The Main Peak rises to 3,248 metres and it is the highest in the Torres del Paine National Park.

Ciudadela Almenada

La Patagonia es un territorio salvaje donde el espacio y el horizonte parecen tocar el infinito, donde los cielos amplios y circulares cobijan a las más grandes nubes, donde las largas noches del invierno son vigiladas desde lo alto por la legendaria Cruz del Sur.

En el borde occidental de esta región, la fría barrera de los Andes rompe bruscamente con la monotonía plana de la estepa. Con sus campos de hielo comparables sólo a los de Groenlandia o a sectores de la Antártica, el macizo andino es una verdadera barrera natural que separa a la Patagonia del Océano Pacífico.

Siendo parte de los Andes, el Paine es a la vez un cordón montañoso independiente, con características geomorfológicas propias. Su origen se remonta a unos 12 millones de años, cuando un gigantesco cuerpo intrusivo levantó las capas sedimentarias superiores de la corteza terrestre. Con el paso del tiempo, la erosión combinada fue modelando lentamente las figuras actuales, donde el granito o roca mucho más dura y resistente perduró en mejor forma, dando origen a las líneas verticales que muestran los picachos del presente. Las "Torres", el "Cerro Catedral" o la "Aleta del Tiburón" son clásicos ejemplos de este fenómeno.

En las partes altas de algunas otras cumbres aún permanecen restos de la roca sedimentaria original. Es el caso de los "Cuernos" o del cerro "Fortaleza", que además de poseer una base granítica, se encuentran coronados por la roca milenaria que aún no completa su erosión.

La dinámica de la última glaciación ocurrida alrededor del planeta en el pasado también dejó su registro para siempre en el paisaje austral. Este imperceptible pero permanente movimiento de los campos de hielo ha ido produciendo cambios dramáticos en la geología del lugar.

La ubicación geográfica de la Cordillera del Paine, entre la pampa y las montañas nevadas, determina su especial microclima, templado en verano y muy frío durante los meses de invierno. Aunque la situación climática en toda la zona es muy variable, casi impredecible, la constante es, sin duda, la presencia viva del viento que casi cobra forma humana.

The Stronghold

Patagonia is a wild country where space and the horizon appear to reach infinity, where the vast, round skies shelter ever-changing clouds and where the long winter nights are watched over on high by the legendary Southern Cross.

On the Western side of this region, the cold barrier of the Andes is seen in stark contrast to the monotonous flatness of the plains. The Andes massif, with its icecaps comparable only to those in Greenland or in some areas in Antarctica is a formidable natural barrier which isolates Patagonia from the Pacific Ocean.

Although part of the Andes, the Paine Massif is a completely independent mountain formation with its own geomorphological characteristics. Its origin can be traced back about 12 million years ago, when an enormous intrusive body lifted the upper sedimentary layers of the surface of the earth. Over a long period of time, the soft rock has eroded, leaving the hard granite core and vertical faces which are seen in the sharp peaks and jagged shapes of today. The "Torres" (Towers), the "Cerro Catedral" (Cathedral Hill) and the "Aleta del Tiburón" (Shark's Fin) are classic examples of this phenomenon.

In the higher reaches of other peaks, some of the original sedimentary rocks remain. This is the case of the "Cuernos" (Horns) or the "Cerro Fortaleza" (Fortress Hill) which have a granite base which is crowned with millenary rock still being eroded.

The dynamism of the last glaciation period which left its mark throughout the planet also affected the Southern landscape. The imperceptible but permanent movement of the icecaps has produced dramatic changes in the morphology of the area.

The geographical location of the Paine Mountain Range between the pampa and the snow-covered mountains has determined a particular micro-climate in the region: temperate in the summer and extremely cold in the winter. Although the weather in the area tends to be unpredictable, the constant feature is the living presence of the wind which almost takes on a human form.

Los Cuernos
Parque Nacional Torres del Paine.
The Horns
Torres del Paine National Park.

Las Torres.
Parque Nacional Torres del Paine.
The Towers
Torres del Paine National Park.

Cerro Balmaceda.
Balmaceda Hill.

Torres del Paine desde
Seno Última Esperanza.
*Torres del Paine from Ultima
Esperanza Sound.*

Cerro Castillo.

Isla Magdalena.
Magdalena Island.

Seno Última Esperanza.
Ultima Esperanza Sound.

PUERTO NATALES

Argentina
Chile

OCÉANO ATLÁNTICO
Atlantic Ocean

Chile

PUNTA ARENAS

Estrecho de Magallanes
Magellan Straits

Faro Punta Dungeness.
Punta Dungeness Lighthouse.

OCÉANO PACÍFICO
Pacific Ocean

Punta Arenas.

Fuerte Bulnes.
Fort Bulnes.

**PUERTO
WILLIAMS**

Cabo de Hornos.
Cape Horn.

Municipalidad de Torres del Payne
Cerro Castillo
E-mail: oficinaturismo@torresdelpayne.cl

Diagrama Geográfico Esquemático, no posee valor jurídico y no compromete en modo alguno al Estado de Chile *Sketch diagram. No legal value.*

N

Reserva de la Biosfera

Desde 1950 en adelante comenzaron a surgir en Chile algunas iniciativas públicas para preservar y proteger un ambiente natural realmente excepcional, lo que más tarde dio como resultado la creación del "Parque Nacional Torres del Paine" y una progresiva ampliación territorial del mismo, para incluir todas las áreas consideradas de mayor valor científico y recreacional. Las etapas de crecimiento y ampliación de una zona protegida fueron dando sus frutos lentamente, hasta que por fin en 1975 el "Parque Nacional Torres del Paine" fue confirmado con este nombre y confiado a la administración de la Corporación Nacional Forestal (CONAF).

Ubicado en la provincia de Última Esperanza, región de Magallanes, entre las coordenadas 50 grados, 45 minutos de latitud sur y 72 grados, 22 minutos longitud oeste, el Paine no conoce vecindad más próxima que la de Puerto Natales, a unos 150 kilómetros, y la de Punta Arenas, distante 400 kilómetros.

El Parque Nacional tiene una superficie superior a las 240 mil hectáreas, las que, debido a su enorme extensión, han sido divididas en seis sectores y sometidas a un acertado plan de manejo. Esta sectorización del Parque ha dado como resultado los siguientes sectores: SECTOR LAGO TORO, RÍO SERRANO, LAGO GREY, LAGUNA AMARGA, LAGUNA AZUL, LAGO PEHOÉ.

Así, el 28 de abril de 1978 las Naciones Unidas reconocieron en este lugar remoto un recurso natural de gran relevancia:

"Por decisión de la mesa directiva del Consejo de Coordinación del Programa sobre el Hombre y la Biosfera, autorizada para este efecto por el Consejo, se certifica que el Parque Nacional Torres del Paine forma parte desde ahora de la Red Mundial de Reservas de la Biosfera".

Biosphere Reserve

Around 1950, Chileans became increasingly aware of the need to preserve and protect some areas of exceptional characteristics in the natural environment of the country. Later, this led to the creation of the "Torres del Paine National Park" on a great scale to include all the areas considered to have a scientific or recreational value.

The development stages for the enlargement of this protected area were rather slow, but in 1975, the title, "Torres del Paine National Park", was officially recognized and entrusted to the Corporación Nacional Forestal (CONAF), an official governmental organization.

Geographically, the National Park is located in the Ultima Esperanza province in the Magallanes Region between the coordinates, 50° 45' latitude South and 72° 22' longitude West. The nearest town is Puerto Natales, 150 kilometres away, and the city of Punta Arenas is 400 kilometres from the park.

The total area is more than 240,000 hectares and, because of its large size, the park has been sub-divided into six sectors for management purposes.

These are named as follows: LAGO TORO (Lake Bull), RIO SERRANO (Serrano River), LAGO GREY (Lake Grey), LAGUNA AMARGA (Bitter Lagoon), LAGUNA AZUL (Blue Lagoon), LAGO PEHOE (Lake Pehoe). The importance of this Southern sector has slowly gained ground internationally, particularly after the United Nations recognized it on April 28, 1978, as an area of natural resources of great importance:

"By decision of the Board of Directors of the International Council for the Coordination of the Program on Man and the Biosphere, with the authorization of the Council, the Torres del Paine National Park is now officially recognized as part of the World Network of Biosphere Reserves".

La pareja central de los Cuernos del Paine y una familia de guanacos vistos desde el sector Lago Pehoé.

The two Central Horns and a family of Guanacos seen from Lake Pehoe.

La Torre Central emergiendo entre
la densa vegetación del valle del
Río Asencio.

*The Central Tower emerges
in the thick vegetation of the
Asencio River Valley.*

Las Montañas

La Cordillera del Paine es un macizo montañoso con características geomorfológicas propias y muy particulares. Prácticamente separado del cordón andino, se levanta por el Este, casi por sobre la pampa patagónica, como un gigantesco bosque mineral, donde sus cumbres de roca y hielo se entrelazan con las danzantes nubes australes, en un permanente diálogo que no termina jamás. Desde que el Paine se divisa a lo lejos, llama profundamente la atención el contraste de colores de las rocas que lo forman.

Las rocas graníticas son abundantes en el Paine, y son éstas las que le imprimen su vertical personalidad, con paredes naturales de más de un kilómetro de altura que desafían nuestra imaginación en una arquitectura limpia y pura como ninguna.

The Mountains

Almost isolated from the Andean chain, the Paine Massif rises from the East, dominating the Patagonian pampa like a huge mineral forest whose rocky frozen peaks are intermingled with the cloud formations in an endless pattern of designs and images. Seen from a distance, the contrasting colours of the Paine rock formations-gold, gray and black-create an everlasting impression. Granite predominates in the Paine Massif, which can be appreciated very clearly in the vertical faces more than a kilometer in height. A natural creation, unique on earth which defies our imagination.

LAS CUMBRES MÁS IMPORTANTES
The Most Important Peaks

CERRO PAINE GRANDE CUMBRE PRINCIPAL	3.248 m.	TRONO BLANCO	2.430 m.
MONTE ALMIRANTE NIETO O CERRO PAINE CHICO	2.640 m.	CABEZA DEL INDIO	2.330 m.
CERRO FORTALEZA	3.000 m.	LA ESPADA	2.050 m.
CERRO ESCUDO	2.700 m.	LA HOJA	1.950 m.
TORRE CENTRAL	2.800 m.	ALETA DEL TIBURÓN	1.850 m.
TORRE SUR	2.650 m.	PUNTA CATALINA	2.100 m.
TORRE NORTE	2.600 m.	LA MÁSCARA	1.850 m.
CUERNO CENTRAL	2.600 m.	CERRO OSTRAVA	2.250 m.
CUERNO NORTE	2.400 m.	CERRO STOKES	2.150 m.
CUERNO ORIENTAL O CUERNO CHICO	2.200 m.	CERRO BLANCO	1.910 m.
CERRO CATEDRAL	2.200 m.	CERRO ZAPATA	1.450 m.
PUNTA NEGRA	2.250 m.	CERRO FERRIER	1.600 m.
COTA DOS MIL	2.000 m.	CERRO DONOSO	1.491 m.
MELLIZOS	2.450 m.		

Las alturas son aproximadas, ya que en diferentes publicaciones las alturas dadas no son equivalentes en un ciento por ciento.
The heights shown here are approximate and there are, occasionally, slight differences with the heights that appear in other publications.

CERRO PAINE GRANDE

Punta
Bariloche

Central

Cumbre
Principal

Punta
Catalina

Trono
Blanco

Aleta del
Tiburón

Cabeza
del Indio

CUERNOS
Norte   Central

Oriental

TORRES
Sur   Central

Cerro Almirante Nieto
o Paine Chico

Los Mellizos vistos desde el lado norte.
The Twins seen from the North.

Trono Blanco y Aleta
del Tiburón.

*White Throne and
Shark's Fin.*

El autor Gastón Oyarzún en
la cumbre Punta Catalina.

*Gastón Oyarzún, the author,
at the summit of Catalina Point.*

Cerro y Laguna Catedral.
Cathedral Mountain and its Lagoon.

Cerro Catedral y Cota Dos Mil.
Cathedral Hill and Cota Dos Mil.

Valle del Francés, Mellizos y Aleta del Tiburón.
Valley of the Frenchman, the Twins and the Shark's Fin.

El Grupo del Cerro Catedral

En el sector occidental del Valle del Francés, con las cumbres del Cerro Castillo, del Cerro Cota Dos Mil, y del mismo Catedral.

The Group of Cerro Catedral (Cathedral Hill)

Located in the Western sector of the Valley of the Frenchman with three major peaks: Cerro Castillo, Cerro Cota Dos Mil and the Catedral itself.

Cerro Negro y Los Mellizos

En el lado norte del mismo valle. Con las cumbres del Cerro Negro, del Mellizo Este, del Trono Blanco, la Punta Catalina y el soberbio Cerro Cabeza del Indio, con sus dos cumbres principales. En primer plano de este grupo de montañas de color negro se levanta una afilada estructura de granito color plata. Con aristas afiladas como el cuchillo y una cumbre tan pequeña como la proa de un velero. Es la Aleta del Tiburón, con un nombre de leyenda que grafica sin demoras la libertad de su diseño.

The Cerro Negro and Los Mellizos (Black Hill and the Twins)

Located on the Northern side of the Valley of the Frenchman. The peaks are: Cerro Punta Negra (Black Peak Mountain), Mellizo Este (Eastern Twin), Trono Blanco (White Throne), Punta Catalina (Catalina Point), and the haughty Cerro Cabeza del Indio (Indian Head Mountain) with its twin peaks. At the lower level of this black-coloured mountain group, there is a sharp silver-coloured granite structure with edges like a knife. It has a small peak the size of the bow of a sailing ship. This peak is called Aleta del Tiburon (Shark's Fin), a legendary name which depicts its particular shape.

15

Se inicia la excursión hacia el Valle del Francés. De izquierda a derecha el Cerro Fortaleza, La Espada, el Cuerno Norte y el Cuerno Central.

Starting the excursion towards the Valley of the Frenchman. From left to right, the Cerro Fortaleza (Fortress Hill), La Espada (The Sword) and the Cuerno Central (Central Horn).

Cerro Fortaleza desde Las Torres.

View of Fortress Hill from The Towers.

Cerro Escudo y Cabeza de Indio.

Shield Hill and Indian's Head.

Grupo del Escudo

Al fondo del Valle del Francés, cerrando por el noreste este espectacular circo, se alzan dos montañas construidas en escala de gigantes: son el Cerro Escudo y el Cerro Fortaleza, cuyas cumbres envueltas en blancos hongos de hielo casi se alzan hasta los 3.000 metros de altura, y cuyos defendidos flancos de granito parecen inalcanzables a primera vista.

The Group of Cerro Escudo (Shield Hill)

There are two huge mountains in the background of the Valley of the Frenchman which close the North-eastern sector of this amphitheatre. They are Cerro Escudo (Shield Hill) and Cerro Fortaleza (Fortress Hill) and both of them rise to almost 3,000 metres. Their peaks are capped with mushrooms of ice and their granite slopes are so steep they seem impossible to climb.

Cuernos del Paine

Quizás los más conocidos, los más fotografiados y no pocas veces nombrados como Torres, estas tres gloriosas centinelas parecen observar casi todo el Parque desde la altura. El Cuerno Norte, ancho y silencioso; el Cuerno Central, el mayor de todos, casi cortado a cincel en la roca milenaria que se refleja en el gran lago esmeralda a sus pies, y el Cuerno Oriental o Cuerno Chico, agreste, salvaje, impredecible y sin duda el más difícil para ser escalado.

Cuernos del Paine (Horns of Paine)

These are the best-known mountains in the Paine Massif and the most popular for photographers and tourists, and they are generally referred to quite simply as "The Towers". These three glorious sentinels look down over virtually all the park.

The Northern Horn, wide and silent, the Central Horn - the highest of all - which looks as if it had been shaped with chisels and which reflects itself in the large emerald lake at its bottom, and the Eastern or Small Horn, wild and unpredictable, and certainly the most difficult to climb.

El viento y la llovizna caen sobre el lago Nordenskjold mientras los Cuernos comienzan a cubrirse.
Wind and fine rain over Lake Nordenskjold starting to cover the Horns.

Desde las cercanías del refugio Pehoé, a orillas del lago del mismo nombre, el grupo de los Cuernos vigila el Valle del Francés.

Near Refugio Pehoe and on the banks of Lake Pehoe, the Group of The Horns watching over the Valley of the Frenchman.

Como un centinela principal de la Cordillera, el bicolor Cuerno Central del Paine.
As the guardian of the Mountain Range, stands the twin-colored Central Horn of Paine.

Desde el lado sur de la Cordillera, detalle del Cuerno Oriental o Cuerno Chico y de La Máscara.

Part of the Oriental or Small Horn and The Mask, seen from the Southern side of the Mountain Range.

Torres del Francés

Entre el Cerro Fortaleza y el Cuerno Norte se agrupan tres bellas y altivas agujas de granito, limpias de toda impureza en su forma y su color. Son la Espada, la Hoja y la Máscara, como singulares réplicas de las Torres, manteniendo en sus líneas la pureza de lo simple, sin mayor pretensión que la de formar parte del conjunto.

Torres del Frances (Towers of the Frenchman)

These are located between Cerro Fortaleza and the Northern Horn. The group is made up of three proud and attractive "granite needles", with clear definition in shape and colour. They are called, La Espada (The Sword), La Hoja (The Leaf) and La Máscara (The Mask), and they are strikingly similar to the Towers with no further ambition than being part of the magnificent ensemble.

Al costado occidental del Valle Pingo se levantan las paredes verticales de las Torres del Francés, de izquierda a derecha La Máscara, La Hoja y La Espada.

On the western side of Pingo Valley, the vertical Walls of the Torres del Frances (French Tower), from left to right, the Mask, The Leaf and The Sword.

La esbelta aguja de La Espada, en el Valle del Francés.
The slender silhouette of The Sword, in the Valley of the Frenchman.

A la derecha, Monte Almirante
Nieto, cumbre oeste.

*To the right, Western summit
of Mount Almirante Nieto.*

Cerro Paine Chico o Monte Almirante Nieto

Este verdadero macizo de roca y hielo forma el espolón oriental de toda la Cordillera del Paine. Con varias paredes y aristas que terminan en igual número de cumbres independientes, despliegan hacia los valles cercanos enormes lenguas de hielo que protegen sus partes altas como el mejor de los guardianes.

***Cerro Paine Chico or Monte Almirante Nieto
(Small Paine Mountain or Mount Admiral Nieto)***

This rock and ice massif forms the Eastern spur of the entire Paine Mountain Range. The many escarpments and ridges have created an equal number of independent peaks, and extremely long tongues of ice descending towards the valleys present a formidable challenge to those who would climb to the higher reaches.

Las Torres y el Paine
Chico vistos desde
sector Laguna Amarga.

*The Towers and Paine
Chico as seen from
Blue Lagoon sector.*

Vistos desde el sur, los Cuernos y el Monte Almirante Nieto reciben la luz de la mañana.

Seen from the South, the Horns and Mount Almirante Nieto in the morning light.

Grupo de Las Torres

Esta es la formación geológica que ha dado el nombre al Parque Nacional. Tres torres naturales de granito color dorado de dimensiones espaciales, limpias y pulidas por los hielos cuaternarios en un trabajo de millones de años que aún no se detiene, han impuesto su imagen de gigante en un eterno desafío a la montaña convencional, más suave y ondulada, y permanecen día y noche sin descanso enfrentando a los vientos venidos desde el mar.

Este grupo está constituido por la Torre Norte, o Torre Agostini, Torre Sur o Torre Monzino y la mayor de todas, la Torre Central.

The Group of Las Torres
(The Towers)

This is the geological formation that has given its name to the National Park. It comprises three golden-colored granite towers of appreciable size and grandeur, with clear lines and well polished by ice which has been working for millions of years and still continues. Perpetually in the direct line of the prevailing winds from the ocean, they remain impassive, challenging the perception of conventional mountains with much smoother, undulating faces. The group comprises the Northern or Agostini Tower, the Southern or Monzino Tower and the biggest of the three, the Central Tower.

Maravillas naturales, las tres Torres de granito limpio y vertical, siempre invitando a los mejores escaladores del mundo.

Natural wonders, the three vertical granite towers always invite the best climbers in the world.

La más estilizada y elegante de las tres, la Torre del sur del Paine, vista desde la Laguna de las Torres.
The Southern Tower of Paine, the most slender and elegant of the three, seen from the Lagoon of the Towers.

Estas paredes de granito vertical que suman casi mil metros de altura, han sido recorridas por la fuerza y el empuje del hombre.
These vertical granite faces a thousand meters high, have surrendered to the strength and will of man.

La inconfundible silueta del Cerro Nido de Cóndores, cerca de Las Torres y al final del Valle del Río Asencio.
The unmistakable silhouette of Condors Nest Mountain, near the Towers at the end of the Asencio River Valley.

Al oeste del macizo, las altas cumbres del cordón Olguín desafían la fuerza del viento.
To the West of the Massif, the high slopes of Cordon Olguin defy the continuous pounding of the wind.

Más allá del propio macizo del Paine, pero aún dentro de los límites del Parque Nacional, algunos otros sistemas montañosos sirven de telón de fondo de esta singular cordillera. Es el caso del cordón Olguín, por el oeste del Paine Grande y prácticamente como un muro levantado sobre el glaciar Grey, con la cumbre del Cerro Ostrava como cima principal. Al Noreste del Escudo una sierra de cumbres rocosas menores dan origen a dos formaciones bien definidas que son el Tridente y el Oggioni. Por último, en la misma línea de las Torres, una enorme formación granítica con una docena de torreones rocosos en su parte superior forma una amplia montaña conocida como la Peineta o Nido de Cóndores.

Beyond the Paine Massif, but still within the boundaries of the National Park, there are other mountains as a background of this particular Mountain Range. These include the Olguín Range, to the West of Paine Grande, which appears like a wall raised above the Grey Glacier. The highest peak is that of Cerro Ostrava (Ostrava Hill).
To the North-east of the Escudo, there is a ridge of rocky peaks somewhat lower which comprises two well-defined formations, the Tridente and the Oggioni. Finally, along the same line as the Towers, there is an enormous granite formation with a dozen or so small rocky peaks which together form an ample mountain chain known as La Peineta (The Comb) or Nido de Cóndores (Nest of the Condors).

Río Francés.   French River.

Ríos, Lagos y Glaciares

Hace unos 10.000 años empezaba a terminar la última glaciación que abarcó gran parte del planeta. Los actuales Campos de Hielo, Norte y Sur, son los residuos más característicos de esta era geológica, donde el hielo y la nieve se adueñaron de una buena parte de los continentes.

Frente a la Cordillera del Paine, en su vertiente occidental, el Campo de Hielo Sur parece formar una franca barrera natural con sus cumbres elevadas y sus grandes extensiones nevadas para separarla del Océano Pacífico.

Todos estos hielos pleistocénicos , de cientos de kilómetros de longitud, todavía extienden sus largos brazos azulados hacia los valles y lagos más cercanos. Es el caso del Glaciar Dickson, al Norte del Paine, que bajando desde el Campo de Hielo deja caer su frío cuerpo en el lago del mismo nombre.

El Glaciar Grey, el más vistoso y conocido del Parque, también recorre muchos kilómetros requebrajando su masa helada antes de penetrar las aguas del Lago Grey.

Los grandes bloques de hielo, conocidos como témpanos o icebergs, flotarán por entre las aguas del lago, desplazándose lentamente para posar ante los cientos de visitantes que llegan cada año a fotografiarlos desde cerca.

Un poco más hacia el Sur, el Glaciar Pingo se descuelga desde el Campo de Hielo hasta el lago homónimo. Ya en el límite Suroeste del Parque Nacional Torres del Paine, las últimas lenguas de hielo corresponden al Glaciar Tyndall y al Glaciar Geike, que formarán los lagos Tyndall y Geike, respectivamente.

Todas estas gigantescas masas de hielo tienen relación directa tanto con el clima como con la geomorfología de la zona y el sistema hidrográfico que recorre a la Cordillera del Paine, formando un verdadero círculo de aguas en movimiento alrededor de ella.

Glaciers, Lakes and Rivers

About 10,000 years ago, the last glaciation era which extended over the greater part of the planet, came to an end.

The present Northern and Southern Icecaps are the most characteristic visible remnants of this geological era when ice and snow covered most of the continents.

Facing the Western slopes of the Paine Mountain Range, the Southern Icecap seems to form a natural barrier with its high peaks and banks of snow that isolate it from the Pacific Ocean.

All this pleistocene ice, hundreds of kilometres in length, still extends its long blue arms towards the nearest valleys and lakes.

The Dickson Glacier, for example, to the North of Paine, descends from the icecap to leave its cold blanket over the lake of the same name.

The Grey glacier, which is the best known and the most attractive in the National Park, also extends over a considerable distance before entering the waters of Lake Grey.

The huge blocks of ice, generally described as icebergs or ice-drifts, float ponderously across the lakes, appearing to pose intentionally before the hundreds of visitors who come every year to take close-up photographs.

A little further to the South, the Pingo Glacier reaches from the icecap to Lake Pingo. On the South-western boundary of the National Park, the last glaciers, Tyndall and Geike, form two lakes with the same names.

All these ice-masses have a direct relationship with the climate, the geomorphology of the region and the hydrographic system in the Paine Mountains, creating a circulation of water in constant movement around them.

La justa dimensión humana frente a frente con el gigante de hielo. Glaciar Grey.
The human figure in contrast with the gigantic ice mass. Grey Glacier.

Lago y Glaciar Grey.
Glacier and Lake Grey.

El Glaciar Grey, que forma
parte del Campo de Hielo
Sur, vacia sus torrentes
congelados en las aguas
homónimas.

*The Grey Glacier, which is
part of the Southern Icecap,
drains its icy waters into
Lake Grey.*

Navegación a la base del Glaciar Grey en la lancha de la hostería Lago Grey.
Navigating at the foot of the Grey Glacier in the boat of the "Lake Grey" lodge.

Grandes témpanos o icebergs flotantes
arrastrados por el viento del lado sur
del Lago Grey.

*Large icebergs are driven
by the wind on the Southern side of
Lake Grey.*

Área sur del
Lago Grey.

*Southern banks
of Lake Grey.*

Río Grey

Grey River.

El Río Paine, nacido en las frías aguas del Lago Dickson, viaja entre valles y colinas por el Este de la Cordillera, cruzando los Lagos Paine, Nordenskjold y Pehoé para llegar finalmente a vaciarse en el Lago del Toro. El Río Grey, venido desde el mismo Lago Grey, es alimentado además por las aguas del Río Pingo, y juntos concluyen en el serpenteante Río Serrano, nacido en el Lago del Toro, y abundante en peces. Este Río Serrano, alimentado también por las aguas de los ríos Tyndall y Geike, llega finalmente al mar, fuera ya de los límites naturales del Parque, en el Seno de Última Esperanza, frente a la ciudad de Puerto Natales.

En su largo recorrido por el Parque, el Río Paine da origen a hermosas cascadas y saltos de agua, entre los que destacan sin lugar a dudas las Cascadas del Río Paine, ubicadas en sector de Laguna Amarga; el Salto Grande, que sirve de unión entre los Lagos Nordenskjold y Pehoé, y el Salto Chico, ubicado en el brazo Sureste del Lago Pehoé.

Además de todos estos lagos y ríos unidos entre sí por las corrientes aguas, sobresalen por su belleza y tamaño otros cuerpos hídricos, como son el Lago Sarmiento, de un color azul profundo, y la Laguna Azul, que también hace justo mérito a su nombre tan bien elegido.

The Paine River which rises in Dickson Lake, flows through valleys between hills to the East of the mountain range, crossing Lakes Paine, Nordenskjold and Pehoe before finally draining into Lake Toro. The Grey River which also rises in Lake Dickson and its tributary, the Pingo River finally enter the Serrano River which has abundant fish. This river and its tributaries, Tyndall and Geike, reach the sea, quite a long way from the Park, in the Ultima Esperanza Inlet, facing Puerto Natales.

The Paine River which flows a long distance in the Park, is noted for its beautiful waterfalls, the most famous being the Waterfalls of the Paine River, located in the area of Laguna Amarga (Bitter Lagoon), the Salto Grande (Great Falls) which joins Lakes Nordenskjold and Pehoe, and the Salto Chico (Small Falls) in the Lake Pehoe area.

We must also mention Lake Sarmiento in this description which is noted for its beauty and deep-blue colour and the Laguna Azul (Blue Lagoon) which lives up to its aptly-chosen name.

Fuerza y espumas en movimiento
se desprenden de la caída
conocida como Salto Chico.

*Turbulent waters and foam
created by the strength
of the Small Falls.*

Todas las fuerzas de las aguas del Río Paine se transforman en las cascadas del mismo nombre.

The waters of Paine River cascading violently to create the Paine Waterfalls.

De todas las caídas de agua existentes en el Paine, el Salto Grande, que conecta los lagos Nordenskjold y Pehoé, es el más espectacular.

The Great Falls, connecting Lakes Nordenskjold and Pehoe are the most spectacular in Paine.

Las limpias aguas del Lago Pehoé
se vacían a través del Salto Chico
nuevamente en el Río Paine.

*Lake Pehoe's clear waters fall to
Paine River through the
Small Waterfalls.*

Hotel Explora a orillas
del Lago Pehoé,
cerca del Salto Chico.

*Explora Hotel on the
banks of Lake Pehoe,
near to Salto Chico.*

Flora

La vegetación nativa es dueña del entorno en la Patagonia, y no pocas veces lucha mano a mano con el hielo del glaciar para ocupar un determinado territorio. Desde el punto de vista de la cubierta vegetal en los Andes de Patagonia, y en particular en Torres del Paine, la zona es "hidromorfa", donde el tamaño de los árboles se ve disminuido, lo que contrasta en general con algunos sectores del Parque donde los tupidos bosques de lengas alcanzan alturas considerables. Entre las especies arbóreas que sin duda hay que destacar en el Paine aquellas del genero Nothofagus son las más importantes y abundantes: El Ñirre, la Lenga y el Coigüe están presentes en el bosque del Parque Nacional, y entre los arbustos destacados, sin duda que el Calafate y el Ciruelillo son las especies principales, que agregan con sus propias características un factor de relevancia: su fruto comestible el primero (incluso un dicho popular de la región lo destaca: "el que come calafate ha de volver..."), y la belleza del fuerte color rojo de este último.

Flora

The native vegetation is really spectacular in Patagonia, although it must struggle to become established and to flourish in adverse climatic conditions and with no human help. This is particularly true in areas partially or almost totally covered with glacial ice. The vegetable layer in the Patagonian Andes and especially in Torres del Paine is defined as "hydro-morphous", because the average height of the trees is usually below normal. In some sectors in the National Park, however, dense forests of the Chilean Lenga tree grow to a considerable height. Among the species that prevail in the National Park, those of the Nothofagus genus are the most beautiful and abundant: the Nirre (Antarctic beech), the Lenga, and Chilean Coigue grow throughout the Park.

There is also a variety of evergreen bushes and the Calafate and the Ciruelillo are the main species. These two have some particular and outstanding features: the edible fruit of the Calafate (a type of wild berry) and also there is a saying in the region that ... "those who eat calafate shall come back" - and the unforgettable scarlet flowers of the Ciruelillo.

Bosque de Lengas.
Lenga Forest.

Parte del Macizo del Paine y del Lago
Pehoé contrastado con el fuerte color
de una planta de "Neneo macho"
(*Anarthrophyllum desideratum*).

*Part of the Paine Massif and Lake
Pehoe in contrast with the vivid
colour of a "Neneo macho" plants
(Anarthrophyllum desideratum).*

Dihueñes, hongos
comestibles.

*Dihuenes,
edible mushrooms.*

Neneo en flor.
Neneo in blossom.

Ñipa o Siete Camisas (*Escallonia rubra*).
Red Escallonia (Escallonia rubra).

45

En medio de los bosques de lenga,
el agua corriente y transparente nunca falta.

*Amidst the Lenga forests, clear running
water is always present.*

a despertar en el Valle del Francés.

*In April, the first signs of Autumn appear
in the Valley of the Frenchman.*

El caudaloso Río Pingo baja de los mismos hielos milenarios para
encontrarse con los valles más lejanos.

*The abundant Pingo River descends from milenary ice masses to
enter the remote valleys.*

La luz y los colores del otoño se adueñan del entorno. Ramas de lenga durante el mes de abril.
The light and colours of Autumn dominate the environment. Lenga tree branches in the month of April.

Fauna

Para la vida animal, toda la Patagonia representa un verdadero santuario protegido, donde la amplitud de los espacios abiertos y limpios compite con la baja densidad de la población de la especie más peligrosa, el hombre, que desde siempre ha sido el enemigo natural más importante para aves y mamíferos del planeta.

La abundancia de lagos y lagunas favorece a la avifauna acuática, y algunos cazadores furtivos, como el puma, el zorro o el halcón, siempre encuentran presas fáciles en su diaria alimentación. El equilibrio natural parece mantenerse en los ecosistemas patagónicos, aunque en los últimos tiempos algunas especies introducidas, como el conejo y la liebre europea, se han multiplicado demasiado. Dentro de los límites del Parque, llama profundamente la atención al visitante la gran cantidad de guanacos en estado silvestre, pero bastante amistosos que es posible ver, sobre todo en el sector de entrada, entre Laguna Amarga y Lago Sarmiento. Se ha determinado que los guanacos forman una población migratoria dentro del Paine, ya que durante el invierno se mueven hacia el sector del Lago Pehoé. El guanaco, pariente cercano de nuestra vicuña, de la alpaca y el llamo, se ha convertido casi en un símbolo del Parque Nacional Torres del Paine, ya que su elegante y esbelta figura permanece frente al viento como un verdadero vigía natural observando sus dominios con orgullo.

En áreas más planas y donde el matorral es abundante, no es difícil ver al ñandú corriendo con largas zancadas para alejarse del intruso que desea fotografiarlo desde cerca.

Los lagos y lagunas del Paine sirven de hogar para una gran cantidad de patos y gansos silvestres, entre los que destacan caiquenes y avutardas, patos jergones y coloridos hualas y pimpollos. Durante los meses de primavera a otoño aparecen en algunas lagunas del Parque grandes visitantes ataviados con bellos trajes de pluma: son el cisne de cuello negro y el flamenco chileno, que agregan un toque de clase al paisaje silvestre y endurecido por las condiciones climáticas.

Fauna

*F*or animal life, Patagonia is an ideal sanctuary with large open, clear spaces and perhaps, the most important advantage, a low population of their most feared enemy - man.

The numerous lakes and lagoons are home to several varieties of wading birds. Some cunning predators such as the puma, the fox and the falcon find there easy prey for their daily food. The natural balance of the Patagonian ecosystems appears to sustain itself, though the rabbit and the European hare introduced in comparatively recent times have bred prolifically.

Within the boundaries of the National Park, one of the attractions for visitors is the great number of guanacos. Although they live in the wild state, they are quite friendly and love to congregate near the entrance between Laguna Amarga and Lake Sarmiento. The guanaco behaves as a migratory beast within the Park, and during the winter months the entire colony moves to the Lake Pehoe area. This animal, a close relative of the vicuña, the alpaca and the llama, has become a symbol for the Torres del Paine National Park. With its elegant, upright figure, it faces the fierce winds with an air of dignity as the absolute master of the territory it surveys. On the plains where the thickets are abundant, it is not difficult to see the Ñandu (American ostrich) running with long strides to escape the over enthusiastic photographers.

The lakes and lagoons in the Park are home to flocks of wild ducks and geese of many varieties. From spring to autumn, two types of migratory birds - the fine-feathered black necked swan and the Chilean flamingo - are regular visitors to the clear waters, adding a touch of distinction to the scene, well-accustomed to the arduous climate.

Zorro Colorado o Culpeo
(*Dusicyon culpeus*).

*Southamerican red Fox
or Culpeo Fox.*

El puma (Felis concolor patagonica), el gran cazador de los Andes, también presente en el Paine.

The Puma, the great hunter of the Andes, is also present in Patagonia.

Caiquenes, gansos silvestres.   *Caiquenes, wild geese.*

Mientras bellas y delicadas flores forman la carpeta natural de la región, en lo más alto, casi envuelto entre las nubes, planea el cóndor andino, "fraile solitario de los cielos", como lo describiera magistralmente Neruda, "talismán negro de la nieve, huracán de la cetrería"...

Nuestras montañas sureñas son privilegiadas para que este señor de los aires tenga un lugar ideal para vivir. Excelentes y seguros lugares donde anidar, buenas corrientes de aire para el vuelo y abundantes animales que, una vez muertos, puedan transformarse en comida necesaria para toda la familia.

Con las primeras luces del alba, las montañas del Paine dejan el gris de la noche y reviven los colores del amanecer. En lo alto ya está el cóndor volando y observando el panorama. Su privilegiada vista le permite captar la comida a gran distancia.

El cóndor es el ave de mayor envergadura y tamaño que vuela en todos los cielos, y luego de una copiosa comida, podrá pasar varios días sin comer, lo que le da el valioso tiempo libre para dedicarse sin apuro a su quehacer favorito, volar y volar, y sólo por el placer de hacerlo.

While fuchsias and calceolarias form a colourful carpet in the park, far above, almost hidden by the clouds, it is possible to glimpse the Andean condor in flight, "the lonely friar of the sky" as Pablo Neruda brilliantly described it.

The Southern mountains of Chile have the privilege of sheltering this "master of the skies". For the condor, it is an ideal site with safe places to nest, strong air currents for free flight and a plentiful supply of animals which provide food for all its offspring.

From the first light at dawn, the Paine Mountains lose their dull greyish aspect and acquire more attractive colours. The condor, an early riser, is already in flight observing the scene with its extremely keen eyesight. It is the largest bird in the sky and although it has a healthy appetite, it can also go several days without food which affords plenty of time for its favourite occupation which is to fly and fly simply for the pleasure of doing so.

La sede administrativa del Parque Nacional Torres del Paine se encuentra en el sector Lago Toro, aquí funciona el centro de visitantes donde se realizan actividades de educación ambiental.

The administrative headquarters of the Torres del Paine are located in the Lake Toro Sector and the centre for visitors operates in the same location. Various activities concerned with environmental education are carried out there.

Carancho, un halcón de la Patagonia.
Carancho, a Patagonian Hawk.

Ñandú.
American Ostrich.

Cóndor.
Condor.

Además del Parque Nacional Torres del Paine, la Región de Magallanes ofrece otros puntos de interés cultural y turístico.

Furthermore the Torres del Paine National Park, in the Magallanes Region, has many other places of interest, both cultural and touristic.

Faro Cabo San Isidro.
Cape San Isidro Lighthouse.

Punta Arenas.

Fuerte Bulnes, fundado en 1843, cuando Chile hizo efectiva su soberanía sobre el Estrecho de Magallanes.

Fuerte Bulnes, founded in 1843, when Chile exercised sovereignty over the Magellan Straits.

Cueva del Milodón, ubicada al norte de Puerto Natales, administrada por Conaf.

The Milodon Grotto, located north of Puerto Natales, which is administered by Conaf.

Faro Punta Dungeness, en la boca oriental del Estrecho de Magallanes.
Punta Dungeness, at the eastern mouth of the Magellan Straits.

Glaciar Serrano.
Serrano Glacier.

A partir de Puerto Natales se puede embarcar en la "21 de Mayo" o la "D'Agostini" y navegar en el Seno de Última Esperanza hasta llegar a los majestuosos glaciares Balmaceda y Serrano.

From Puerto Natales, one may embark on the "21 de Mayo" or the "D'Agostini" and sail in Ultima Esperanza Sound to arrive to the magestic glaciers, Balmaceda and Serrano.

A la izquierda el Glaciar Balmaceda, al fondo se divisa el Parque Nacional Torres del Paine.

On the left, the Balmaceda Glacier. In the background, the Torres del Paine National Park can be perceived.

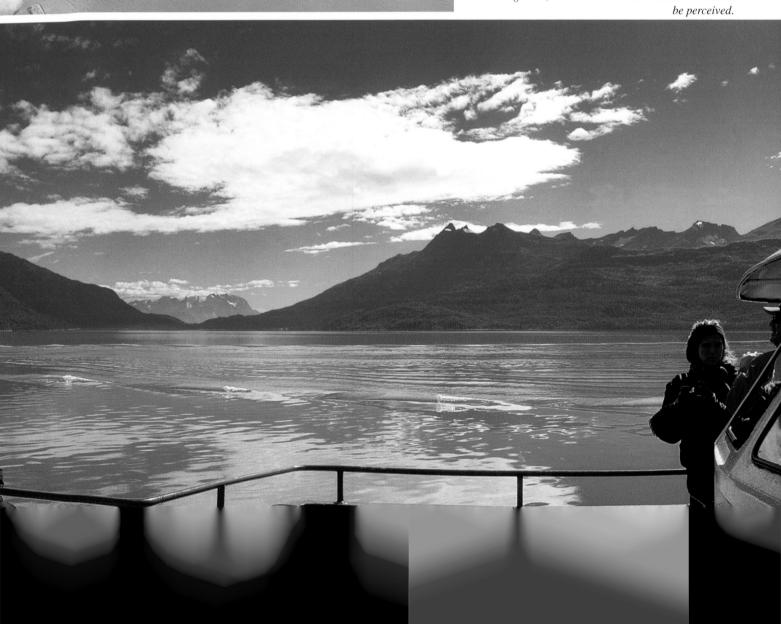

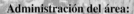

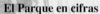

CONAF
Ministerio de Agricultura

Gobierno de Chile

Vías de Acceso
Se accede en cualquier época del año por un camino pavimentado de 250 km. , que une Punta Arenas y Puerto Natales y por un camino de ripio de 150 km. desde Puerto Natales. En época invernal es recomendable utilizar cadenas por lo inestable de las condiciones climáticas.

Administración del área:
La sede administrativa de Conaf se encuentra en el sector Lago Toro, a 145 km. de la ciudad de Puerto Natales y a 33 del acceso principal al Parque (portería Sarmiento), también existen cinco oficinas de Guardaparques ubicadas en las porterías Lago Sarmiento, Laguna Amarga, Laguna Azul y las guarderías del Lago Grey y de la Laguna Verde. En el edificio de la Sede Administrativa funciona el Centro de Visitantes, donde se realizan actividades de Educación Ambiental.

El Parque en cifras
Creación del Parque Nacional: 13 Mayo 1959
Personal de Conaf en temporada alta: 70
Superficie del Parque: 242.242 ha.
Altitud máxima del Parque: Paine Grande 3.050 msnm.
Senderos: 240 km
Cantidad de Lagos: 11
Flora: 270 especies
Mamíferos: 26 especies
Aves: 105 especies
Peces: 3 especies
Reptiles: 6 especies
Anfibios: 2 especies
Cantidad de glaciares: 12 más el Campo de Hielo Patagónico Sur, Tercera masa de hielo del mundo después de la Antártica y Groenlandia.
Cantidad de saltos de agua: 5

Las temperaturas medias registradas son:
Verano: Máxima: 15° Mínima: 3°
Invierno: Máxima: 8° Mínima: 2,5°

Los vientos predominantes son del oeste y pueden alcanzar rachas sobre los 60 Km/h durante los meses de octubre a marzo.

Los circuitos más frecuentes al interior del Parque son:

Circuito	Tiempo Mínimo	kilómetros
"W"	4 días	76,1
Macizo Paine	7 días	93,2

Access Routes
It is possible to accede at any time of the year by a 250 kilometer paved road that joins Punta Arenas and Puerto Natales and by an unmade road of 150 kms. from Puerto Natales. In the winter season, it is advisable to use chains because of the instability of the weather.

Administration of the Area
The administrative headquarters are located in the Lake Toro sector, 145 kilometers from Puerto Natales and 33 kilometers from the main access to the Park (Sarmiento Porter's Lodge).

The Park In Numbers
Establishment of the National Park: May 13, 1959
CONAF Personnel, High Season: 70
Surface Area: 242,242 hectars
Maximum Height: Paine Grande 3,050 metres above sea-level
Trails: 240 kms.
Number of Lakes: 11
Flora: 270 species
Mammals: 26 species
Birds: 105 species
Fish: 3 species
Reptiles: 6 species
Amphibians: 2 species
Number of Glaciers: 12 plus the Campo de Hielo (Ice-Field) Patagonia Sur. It is the Third greatest ice mass in the world, after the Antarctic and Greenland.
Number of Waterfalls: 5

The average temperatures recorded are:
Summer: Max. 15°C Min. 3°C
Winter: Max. 8°C Min. 2.5°C.

The prevailing winds are from the west and can reach over 60 km/hour between the months of October and March.

The most popular circuits in the Park are:

Circuit	Minimum Time	Kilometers
"W"	4 Days	76.1
Paine Massif	7 Days	93.2

Internet: www.conaf.cl (en español) - www.torresdelpaine.cl (en español / in English)

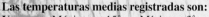